Les pirates

Texte de Stéphanie Ledu
Illustrations de Roland Garrigue

MILAN

Voici l'île des pirates ! Ces **brigands** viennent se cacher là pour préparer leurs **attaques contre les navires** chargés de marchandises.

Avant de partir en mer, les pirates réparent leur bateau et font des provisions. Il faut de l'eau douce, des fruits et de la viande : cochons, poules et tortues sont embarqués vivants !

La vie **à bord** n'est pas très amusante ! Chaque jour, il faut nettoyer le **pont** avec du vinaigre, entretenir les **armes**, recoudre les **voiles** déchirées...

Après des semaines de navigation, il n'y a presque plus rien à manger. Les biscuits de mer que distribue le maître coq sont pleins d'asticots. Pouah !

Mais soudain...
Galion espagnol en vue !

C'est sûr, il est chargé de trésors.
Les pirates rusent : ils hissent
le même drapeau que le sien,
et les hommes se cachent.

Le brigantin est léger et rapide :
il rattrape vite le galion.
Un matelot hisse alors
le pavillon noir.

Au secours, des pirates !
Les marins espagnols tremblent de peur.

À l'abordage ! Les pirates attaquent en hurlant. Pas de pitié : quand ils blessent un ennemi, ils le jettent par-dessus bord. Le malheureux finira dévoré par les requins.

Les pirates ont gagné. Ils rassemblent sur le pont tout ce qui a de la valeur : fourrures, épices, vaisselle et métaux précieux... Ils volent aussi la nourriture et l'eau !

Leur capitaine est mort... Les pirates choisissent un nouveau chef : l'homme qui s'est montré le plus courageux au combat. Il ordonne de brûler le galion pour le couler.

Et ce matelot ? Il a essayé de voler une part du butin. Ses compagnons l'abandonnent sur une île déserte : c'est la punition prévue par le code des pirates !

Après plusieurs **captures**, l’équipage regagne sa **cachette** et partage le butin. Ce pirate a perdu un **œil** en se battant : il reçoit un peu plus. Le capitaine, lui, a droit à une **double part**.

Les pirates ne sont pas riches très longtemps...
Ils sont venus vendre leurs trésors au port,
mais ils dépensent aussitôt tout leur argent
à la taverne. Hic ! Ils adorent le rhum.

Un pirate, pourtant, a choisi de cacher ses pièces d'or. Qui sait ? Son trésor dort peut-être toujours en haut de la colline, sur l'île de la Tortue...

Découvre tous les titres de la collection

Mes P'tits DOCS

À table !
Au bureau
Les bateaux
Le bricolage
Les camions
Le camping

Le chantier
Les Cro-Magnon
Les dauphins
Le déménagement
Les dents
Les dinosaures

L'école maternelle
L'espace
La ferme
La fête foraine
Le football
Les fourmis